KU-190-606

SCIAN

Rogha Dánta

TOMÁS MAC SÍOMÓIN

Sáirséal · Ó Marcaigh
Baile Átha Cliath

43231

Coláiste
Mhuire Gan Smal
Luimneach
Class No.
Acc. No. ....

811.914 /510
98927

An Chéad Chló 1989

SCIAN

© Sáirséal · Ó Marcaigh Tta 1989

ISBN 0 86289 061 6 (crua)
ISBN 0 86289 062 4 (bog)

Arna fhoilsiú le cabhair Bhord na Leabhar Gaeilge

Dearadh: Caoimhín Ó Marcaigh
Clóchur: Typeform
Arna chlóbhualadh i bPoblacht na hÉireann ag Criterion Tta.

Gach ceart ar cosnamh. Ní ceadmhach aon chuid den fhoilseachán seo a atáirgeadh, a chur i gcomhad athfhála, ná a tharchur ar aon mhodh ná slí bíodh sin leictreonach, meicniúil, bunaithe ar fhótachóipeáil, ar thaifeadadh nó eile gan cead a fháil roimh ré ón fhoilsitheoir.

Sáirséal · Ó Marcaigh Tta,
13 Bóthar Chríoch Mhór, Baile Átha Cliath 11.

Rinn sgian m'eanchainn gearradh
air cloich mo ghaoil, a luaidh,
is sgrùd a faobhar gach aon bhearradh
is ghabh mo shùil a thuar.

Somhairle Mac Gill-Eain

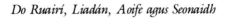

Do Ruairí, Liadán, Aoife agus Seonaidh

Clár

Sa bhFuil

Anaxagoracht	11
Do Mháirtín Ó Direáin	12
Achadh Mhoirín III	13
Descartes 1980	14
Aniar	15

Sa Tine

Cuireadh Mhidir	16
Ar Théama De Chuid Mharcus Aurelius	18
Achadh Mhoirín XXXVII	19
Leithscéal Nietsov	20
Fáiltiú Aphrodite Roimh Earrach	21
Oilithreacht Ghearmáin: Scéal Bádóra	22
Oisín: Apologia	25
Abha	27
Éan Maidne	32
Táth Lín	33
An Toibhéim	35
Freagra Pascal Ar Neitsov	36
An Teachín Liath	37
Ceol Na dTéad	38
Do Bhua	39
Gratias	40

San Oíche

Bás Tweedledee	41
Duais	42
Caoineadh Chréide	43
Bás Tweedledum	45
Aibiú	46
Bagairt	48
Athchollúchas	48
Comhairlí	49

San Uisce

Celan	50
Leath-	51
Il y a des monstres	52
Eadartheangachadh	53
Treoir	54
Damhna	55
Teagmháil	65
Ar Dhuirling	66
Baiseo Ar An mBóthar Aduaidh	67
Nietsov Agus An Mhaighdean Mhara	68
Pizzicato	69
Ríseach	70
Féileacán	71

Sa gCré

Achadh Mhoirín XXXVI	72
Iargain Acaill	76
Oisín I mBoston	79
Eitilt	80
Duille Uathoibríoch	82

Tóir 84

Diomar 85

Amhrán Ársa 86

Héalan 88

Gort An Chriadóra 89

Aeaea 90

Salómé 91

Ardfheis 92

An Raghallach 93

Cúlfhéachaint 94

An Ghaoth 95

An Iarmhairt 96

Comhairle 97

Nuits de Paris 98

Idir Dhá Chleacht 99

Iar-Scar 101

Guth Agus Codromán 102

Bánú 104

I Reilig Bhloomsbury: Splanc 106

Ar Théama De Chuid Horatius 107

Níl In Aon Fhear Ach A Fhocal 108

Fin de siècle 110

Gaibhneoireacht 112

Aidhm 113

Timthriall 114

Críonadh 115

Laoi Fómhair 116

1845 117

An Tásc 118

Rabhcán An Chomrádaí Dhílis 119

Paidir An Fhile 122

Ball A Mholfad 123

9

SA bhFUIL

Anaxagoracht

In anam dubh an tsneachta
Tá rún gach samhraidh breacaithe
Glascheadal fras gach earraigh
Is fómhar an chaoinspioraid leacaithe
Rún nár scaoileadh fós
Dá bháine

Do Mháirtín Ó Direáin

Tá scleondar is sceimhle
Ag scrabhadáil sa scáth
Sa ngleann úd gan ghrinneall
Idir focal is focal

Tá gáire is guais
I ngréasán mo dháin;
Tá créacht agus ceirín ann,
Toille is torthacht

Is má théirse i bhfiontar
Mo dháinse, guím
Ná faighirse faobhar ann
Gan fastaím

Achadh Mhoirín III

Gealladh an fíon dúinn
     tráth na ngeamhar,
Luisne is glioscarnach
     na bhfíonchaor Shamhna.
Is síol mar ús
Le croitheadh san Earrach
In éadan talta bána . . .

Descartes 1980

Dúshlán na toinne,
A thaibhse, nuair thugais,
Ní hé dála Chainiút, tráth,
Nó Cú Chulainn na n-éacht
Ar chladach Mhuirtheimhne,
An claíomh do chumais
As cruach do chnáimh
Le bólacht Théatais
Go buan do ghiorraigh . . .

Díthrá fhalamh dar leat ba bhranar
A roinnfí feasta d'réir riail do thoighs';
Na fréamha stoite salainn mhúchfaí
Faoi bhorbfhás shíol do shaghais. . .

Ach 'sé Neamhní tiarna
Chríocha na heornan,
A thaibhse chríon mo chnáimh,
Ó scaoilis cré ó shrathar na taoille. . .
'Sé Ganntan, cásamh cách, an dáileamh
In ósta anbhfáilteach do rabairne.

A fhir do cheansaigh tonn is taoille,
A thaibhse chríon mo chnáimh,
Nuair osclód créachta glioscarnach' an tsalainn
Le faobhar geilt mo ghá,
Sá mo mhéire ná coscfar
Ag leithbhe liath do láimhe
Go bhfoilseoidh tásc mo ladhrach dhomh
Iomláine oidhreacht Thomáis . . .

14

Aniar

Annamh ceardaí a nochtódh inniu
Gin a chroí sa chloch ómra . . .
Ní ar a leithéid atá cion,
Agus is fada ó d'imigh
An saor ab oilte faoin gcnoc
Nó gur thug aghaidh a chraois
Ar mharmar coigríche,
Ór, airgead, nó eibhearchloch.

Ach mo ghraidhinse
An mhil a gineadh ariamh
I gcroílár beo an ómra
Is mo ghraidhin go deo
Dubhracht d'ardódh
Bláth scáfar na giniúna
Thar mhachaire bán an neamhní
An rúta fial ag tarraingt
Bia láidir aniar
Ó ríochtaí imchéine

SA TINE

Cuireadh Mhidir

*An bhliain roimh theacht Mhidir go hEochaidh chun fichille imirt,
bhíodh sé ag tochmarc Etáin, ach níor fhéad sé í a mhealladh.
Ghlaoigh Midir an t-ainm Bé Fhionn uirthi; go ndúirt:*

A Bhé Fhionn, a' raghfá liom
go hiath n-ionadh, tír reann
   barr sobhairce ann gach folt
   gile sneachta i ngach corp

      Críoch ná fuil ann 'mo' nó 'do'
      geal déad ann; malaí dubha
         radharc áin líon ár slua
         caordhearg i ngach grua

Corcar gach muí is muin
radharc geal uibh loin
   gí caoin léargas Mhuí Fáil
   scéirdiúil í d'éis Mhuí Mhór

      Gí meisciúil libh leann Inse Fáil
      meisciúla leann Thír Mhór
         tír iontach tír mo scéil
         sean ní éagann ann roimh óg

16

Srutha caoinmhilse thar tír
rogha de mhíodh is fíon
    daoine gan smál gan locht
    collaíochta gan peaca gan col

        Chímid cách ar 'chaon taobh
        ní fheiceann aoinne sinn
            teimheal pheaca Ádhaimh
            ár gceilt ar lucht áirimh

A bhean, má shroichir mo mhuintir theann
cuirfear coróin óir ar do cheann
    ceathrú toirc beidh agat liom
    is fíon úll, a Bhé Fhionn

ón Meán-Ghaeilge

Ar Théama De Chuid Mharcus Aurelius

Mura gcuirir claíomh an chlampair id thruaill,
Mura scoirir ded strí in aghaidh na taoille,
Mura ngéillir d'fháisceadh fuar Nióbe
Cen chaoi a' dtomhaisfir rún
A croí siúd –
A huimhir nár bhraithis
Ar ghaoth nó ar thaoille
Nó a port ná staonann
Ar bhéal na toinne?

Mura gcuirir claíomh an chlampair id thruaill,
Gliúcaí a bheas ionat go broinne an bhrátha
Ag seasamh id leathcheann ar thairseach Eleusis
Id straeire strusach gan teacht i láthair
Is tú foclach fairgseach
I bhfarradh na diamhaire.

Achadh Mhoirín XXXVII

'Má tá ré na sua
Le bheith feasta ar lár,'
A mhaígh urlabhraí aicme
Na dadhaice,
'Tréig, a fhile, fuaruabhar do cheirde,
Fógair fán ar chlann, ar chneas;
Ar dhán do chroí
Níl ráchairt ná éileamh!
Samhail a bheirid inniu do do ghin:
A lomuaigh féin
Ag an bhfile á déanamh,
Gan leac ná lodairne os a cionn
D'fhógródh scéal d'éinne . . .'
'Nuair a shiúlann mo dhánsa
Go huaibhreach trí mhargadh na saor
Chím Mór na Mumhan
I mo dháil ag téarnamh
Is mo thásc á bhuanú
Ar bhinnbhéal na sméar,'
A dúirt an Rathailleach, éigeas.

Leithscéal Nietsov

Gliceas deibhí
Dhomhsa ní feas,
Caighdeáin,
Díochlaonadh
Nó gramadach.

Tá Do éisteacht,
A Dhia,
Gan roinn,
Gan smál;
Canfad
Dá réir sin
D'réir
Ghuilm
Mo ghrá

Fáiltiú Aphrodite Roimh Earrach

Lá a d'fhill Adonis
tháinig gan choinne
ag seinm go neamhthrócaireach
ar a phíob phocáin

gur rinc na tithe
do bhuillí a chos
meallta ag fonn meabhail
thréig daoine a ngnoithe
is thionscain an damhsa

a cheol cáite sráide ag
ardú is ag ísliú
ag stealladh go fiáin thar
bharra na dtithe
go hard is
ní b'airde fós
gur

mhúscail Aphrodite
is chonaic a maidin
tré mheadaracht a phoirt

gur scaoil cumhracht blátha
ar fholt is ar bhléinte
is ghluais amach
fá dhéin na gréine

Oilithreacht Ghearmáin: Scéal Bádóra

D'fhuagair fán ar láí, ar chéacht,
ar charcair chré na bliana
thréig go deo ár nós, ár gcleacht
is déithe cré ár sinsear

thug aghaidh ar an bhfarraige
chuartaigh cuanta
gur shroich fá dheoidh
ár n-oileán draíochta
loisc ár gcuraí
ar chiumhais na mara
thóg gáir chaithréime
ghlan allas dár gcnámha
sa bhfuarán glé
i lúb a' chladaigh
thug ár n-aghaidh
ar na goirt intíre
shantaigh le dásacht
rún na hinse
roinn gach meas linn
lán a mhílseachta,
gach bláth a cheol
gach dán a línte

ach ghéaraigh ar ocras
ba mhéadú gach tarta
a shásamh

i mbarr na gcraobh
do labhair an tÉan

'i ngach aon fhear
tá oileán rúin
más ocrach é
ina oileán féin
tóraíodh sé a chuid
san imigéin'

i lár an oileáin
sa leamhanchoill
shnoigh curaí ár n-atriallta
gur chlúdaigh iad le craiceann bó
de bhuaibh an oileáin stiallta
is nigh ár lámha
dhóigh ár dtithe
chur curaí a' snámh
ar linn na hoíche

Gheal lá
ar bhall cuideáin
bhorr guth an éin
ar fud an tsaoil
sheargaigh duille
is bláth ar chraobh
óige bhaoth
do chuaigh ar neamhní
gur thaistil fearann
i bhfad i gcéin
fearann neamhní
fearann aimride
nár cuireadh
ariamh ann
síol

nár fhás sméar dhubh
nó meas d'aon sórt ann
nár saolaíodh naí
nó nár toirchíodh broinn ann
bhí bé gan chéile
ag caoi is ag éamh ann
bile gan duille
ag díoscadh sa ngaoth ann
bánta gan ghlaise
ag lobhadh faoin ngréin ann
gach meadaracht leamh
is ranna ag éag ann
toisc agus nós
dá bhfuadach in éindí ann
thaistil go lagmheanmnach
an fearann úd

gur shroich fá dheoidh

tobar dheireadh an domhain
tobar Indra na seacht n-abhann
tobar na n-eadarfhocal

a bheathaíos

Oisín: Apologia

Cheapamar an réalt
thug saol dár mbrionglóid
gur thaiscigh í
i gcabhail crainn

coll, dair agus beith
do sheas faoi bhláth
i bhfiobha ceoch
i lár an domhain

is nuair a shnámhadh ré
in ard na spéire
nuair d'óladh fíon lá bealtaine
chanadh draoithe
'coll, dair is beith'
is lastaí saol
leis an tine bheannaithe

'nár laetha óir ar mhá meall na séad
níor airigh gaim ag teannadh linn nó
an bás do rinne neamhní dár gcleacht
ach anoir do leath an anachain
anoir aduaidh do leath an fómhar
sciob an réalt is an duille odhar
is thit ár gcrann san anfa

Coláiste Oideachais Mhuire Gan Smal
98927

25

anois, a phádraig,
im dhíriúchas idir-dhá-shaol
im aonarán duairc ar oileán ainnise
canaim im chiúintráth
'coll, dair agus beith'
go ngeiteann crann as
m'fhocla sanaise
an bheatha thadhaill
ar bharr a ghéag
rírá na n-uile
meallta chun séimhe
reann agus ré
'na n-áit cheart

bíonn síth in athréim
i ngleann na scál
sa bhfailmhe poill
i lár an tsaoil

Abha

(Do Phádraig agus do Chlíona)

Tugadh an dlí go deimhin trí Mhaois, ach tháinig an grásta is an fhírinne trí Íosa Críost.   (Eoin – 1:17)

Creill mhalltomhaiste na scarúna
Do chuala
Trí eaglais reo na giúise
Ag fuaimint;
Luan an laoma
Dá nochtadh do chonaic
Ar bharra feoite
Na gcoinneal luachra.

* * *

Camhaoir uachtar locha:
Réalta oighir dá múchadh,
Céadcheadal lae dá spreagadh,
Pár na hoíche dá stróiceadh . . .

Scuaine shollúnta oighearchorp
Ar bharr an tsrutha dá hiompar,
Gach cruth faoi iamh a chomhaid reo
Is an t-uisce beo ina thimpeall.

Ach scoitheann triall gach reochorpáin
Tír an Bháis faoi scáth na sailí
Is tá gach camachrág
Ag titim thar bhruach
Ina húdar scléipe,
Ina húdar magaidh:

27

'Beirigí orm más libh is féidir'
Atá cnáid na habhann
Ar fud mo dhúiche:
'Beirigí orm más libh is féidir'
Atá gáir an Earraigh
Ag dul le fuadar . . .

Uisce caoch ar thóir an uisce
Is muid ar imeall an tséasúir!
'Beirigí orm más libh is féidir'
(Nach mó nó nach lú a réasún
Ná rince-cheol an tsaoil seo,
Ná tuile is trá a gcré-ne
Ná leamhnacht ghoirt an lae ghil.)

An beo ag éamh
I gcluasa na marbh;
Is loighic an oighir
Ag an Earrach á réabadh;
Tréigeann beoshruth
Sceirdí is scáth
Is sníonn grianfhuil
Trí leathar na bréige.

* * *

Samhail a bheirim duit,
A shruth,
Pianpháis Chríosta
Is an Cháisc dá héis:
An braon ar sileadh
Ar Chealbharaigh an áir
Do tharrthaigh sinne
Ó smacht an éaga.

28

An braon dearg leasaigh
Daille an pheaca,
Támh na spride,
Oighearluí na beatha,
Is rothaí an tsaoil
Do chur á gcasadh.

Tine a Chásca
Ar arda lasta
D'fhógair fán
Ar dhubh an teampaill.

Sceon i bpaidir,
Saint i mbriocht,
Ina grá lúcháireach
A bhás do chlaochlaigh,
Is meacan an chaointe
Ina ghealspré gháirí . . .

Spreagtar dá réir sin
Um chorp ar chroich
Píob an aitis
Is caismirt cláirsí;
Ó, beir ar a ghrá
In eangach Fhéabais,
I gceadal, i ndán
Nó i ngáifeacht béchló
Go bhfeolfaidh an Coimhdhe
Failmhe do mhéinse
Le failmhe ghlórmhar
A fhailmhe féinig.

Is tráth a dhéanfar oighear
Den uisce,
Tráth a shlogfar glór sa tost,
Tráth a thitfidh feoil
Den chnámh,
Sáimhe ar uisce
Nó oighearthámh,
A thost an síol
I mbruth do chiúine . . .

Baiste a dhuine
I dteampall na giúise
Ní cheilfear ar aon neach
Nach ligfidh dá fhocal
Briathar a chroí
A chosc ar a Thiarna,
Dá chumas, dá chlisteacht
Nó do chlaonbheart réasúin
Crapall a bhualadh
Ar each na gréine . . .

Éisteacht umhal
Le dán an Dúilimh
Le cluas gan dóchas,
Gan dúil, gan uabhar
A fhágfas do chroíse
Ina chroí siúd leáite
Is an beo le fórsa
Sa mharbhchré sáite.

* * *

Ar a mhúchadh faoi dheoidh
Do luan an laoma
Ar bharr críondóite
Na gcoinneal luachra
Calthóg a thine
Do chonaic go beomhar
Ar princeam is ag rince
I ngéaga an Bháis,
An sruth faoi thíos
Ag ceol gan staonadh
Trí mhéara spréite
Na sailí.

Éan Maidne

An dúil go huile
  i gcorp éin
  cruinnithe

Mianach an éin
  i ngach
  gléshiolla

Táth Lín

Do cuireadh bréag ar an mbás
  ní mar deirthear a-tá a ghoimh,
díol a loisgte lucht na mbréag
  mairg do chreidfeadh a sgéal soin.

Bhí seomra ann, tráth, i gcríoch chéin,
Solas lom ann is scáth,
Fíon ar bord is tusa romham,
A Leisbia, a Mhoirín, a Audiart . . .

I gcuilithe do mhaise i gcoim na hoíche úd
Gach gealladh bhraitheas is ceol na sféar
Is ba í loinnir na seirce i ndomhain do roisc
Do chuir an cor i ngluais mo mhéine.

'Mise Peirseifine de shíolbhach Iúpatair,'
A dúrais go tláith de ghlór caoin íseal;
'Banríon ifrinn mé, is céile Phlútóin;
Léan is léirscrios clú mo ríochta.'

Scian im chnámh ar chlos sin dom d'airigh.
Arae trúig do chuairte chugam níor thuig
Murab thusa an bás im dháil ag téarnamh
Chun m'anam a bhreith go hiatha Aibhéarnais!

Is nochtaigh m'anam ar scáileán spéire
Mar chnámhóg crochta idir cré is flaitheas
Á meilt gan taise i ndochtdorn Dé
Gur leagais lámh ar lom mo bhaithise . . .

33

'Creill na hainnise má airír
Im ainmse,' a dúrais,
'Nó cogar na cille glaise im ghlór;
Más biorgha mo sciamh

Trí abhras ár n-allagair,
Meabhraigh go leanann soineann síon
Is go mborrann beatha i seol an bháis;
An iadhshlat strapann
Thar sheargluí ithreach;
Gach rí-dhán fásann
As siolla fás.'

Focal na féile
Id bhéal binn cuimir
A d'adhain dán úr
In áit na loime
A mhínigh céasadh mo chroiche
Chun Cásca,
A shraonaigh goimh an bháis
Chun binnis . . .

Síoda do chíche canaim dá réir,
Do shliasaid aoil is collchoill Véineas
D'éadan álainn gan roc gan cháim,
Do chneas
Chomh bán leis an táth lín.

An Toibhéim

Ar scéimh, a spéirbhean m'fhíse,
Ar an laom úd id thimpeall,
Miste labhairt?
Nó scarúint do ghealdéad
Ar scaradh 'eóin re craobh'
A samhail?

Nó aghaidh álainn a' snoífear feasta
Le hord is tomhais an rainn,
Cabhail niamhdha a' gceapfar
Ag meadaracht tholl ár n-éigse?

'Ar ghrá, ar scéimh,'
A dúirt sí,
'Dheamhan toibhéim
Seach foghar a gcanta;

Na saoithe gur feasach dóibh
Mo scéalsa
Bíd chomh balbh le cloch nó smíste;
Ach dásachtach dícheallach
Gach ainbhfiosán
I mbun a ghréasáin ghrá.'

Freagra Pascal Ar Nietsov

Ní fearacht gine
i mbroinn na máthar
nach feas di
gnúis a buime

nó ise
faoi bhláth a máithreachais
nach feas di
aghaidh a linbh

an peacach bocht
faoi dhraíocht
ag cluiche meabhail
na cruinne

aghaidh a Thiarna
dó ní feas
ach is feas dá Thiarna
eisean!

An Teachín Liath

Dúirt saoi liom go maireann Búg
I dteachín liath gan teallach,
Gan balla, 'lár nó doras ann
Ar chnoc ar chúl na gealaí.

Ní itheann nó ólann Búg
Deoch uisce, leanna, nó fíona,
Nó níl cur síos beacht ar a chomharthaí sóirt
I gcaint a thuigeann daoine.

Tá cófra falamh sa gcistin ansiúd
Nach bhfuil ann im nó císte
Is tá toirtín éicínt sa dorchadas ann
Á choinneáil aige duitse.

'Céard í an tslí chun an teachín liath?'
A chluinim thú ag fiafraí,
Ach an toirtín úd ní shaothróidh tú
Le freagra prap nó fóirthint.

An paidrín féin ní cabhair, nó dlí
Ní rianfaidh bóthar nó bealach,
Ach tá mapa id chroí a 'spáineann slí
Chun teachín liath gan teallach.

37

Ceol Na dTéad

Sular rugadh Críost nó Crom
Cuireadh an geata úd faoi ghlas;
Sular stealladh an fhuil cois Simöis céin
Cuireadh Fearfeasa sa bpoll faoin scraith
Is rug sé rún na heochrach leis
Chun Hades síos isteach.

Ach ar neamhchead cách is saoithe Vín
D'oscail an port faoi lagbhrú do láimhe
Gur nochtaigh garraí i radharc do shúl
Nach raibh nimhlus ann nó nathair,
Samhlaoid drúise nó ciarscáth sceimhle
Nó taidhleoir an bháis ag siúl
Ar bhánta, ach

Órféas, éigeas, sheas ann 'na aonar,
Is cruit óir Thracia i ngreim a ladhrach,
Is gach fidil gheilt dár chaoin ariamh
Thar iatha allta na hUngáire
I bport a bhéil ghil . . .

Do Bhua

Tráth a luas an focal 'farraige'
Chonaic tusa deora goirte na firmiminte
Á sileadh ag cnoc is gleann;
Nuair nach léir don tsúil ach múraíl aniar
Feicirse sciortaí liatha na gaoithe;
Ó, feicir lámha glasa an earraigh
Ag scaradh bhuí an tseagail
Is cloisir fia na fírinne, mo chreach,
Ag búiríl ar ard an éithigh
Nuair nach léir don chluas seo
Ach seanchrupach
I mbroinn na paidre ag géimneach . . .

Gratias

Fíon Chios i mo rann ní luafad,
Fiodrince Bhacais ná iarann Fhéabais,
An poll gan ghrean faoi chroí an tsiolla,
Díochlaontaí balbha an éigin . . .
Ach molfad grásta seo Bhé na hÉigse
A chuir ceol á spreagadh i dteampall cré;
Molfad méara Mhelpomene na gciabh
Nár cheil dord umha ar ábhar éigis
Ná béal úd na meala nár dhúirt fós focal,
Nár dhúirt, nach n-abrann, nach ndéarfaidh . . .

SAN OÍCHE

Bás Tweedledee

D'oibrigh go crua, níl gar dá shéanadh
    dhóigh sé a gheaitírí istoíche
Ag gabháil le griongal dá sheanimleabhra
    ag cleachtadh sanas saoithe

      is fuililiú eureka
    scag fá dheoidh
    cloch is brionglóid
      fuililiú eureka

Gur fhág a chorp d'aon rúideog
    ní bhuairfeadh cló é choíche
Gur mhaígh: 'a' bhfacabhair cheana scáth
    gus a cheangal feola scaoilte?'

      is fuililiú eureka
    scag fá dheoidh
    cloch is brionglóid
      fuililiú eureka

Is roinneadar píobaí cailce
    is leann chun brón a mhúchadh
Ach níor airigh cóiríoch a ghaiscechaint
    go fiú's an bhean a shín é

      with a whack foldy iddle
    eye

      os cionn cláir

41

Duais

Nuair a dhéanair dem chnámha
Fráma cruite,
Nuair a dhéanair dem cheann
An bosca ceoil,
Nuair a dhéanair dem mhéara
Fearas stoite,
Nuair a dhéanair dem néaróg
A haonsreang óir,

Nuair a theannair isteach
Is nuair fháiscir go dlúth mé,
Nuair a chasair Do cheol
Trí bhéal an fhile,
A Thiarna na bhflaitheas
Ní mór é an t-ionadh
Síoraíocht a bhrath
Faoi sheal a shiolla!

Caoineadh Chréide

Créide, iníon Ghuaire, do chan na ranna seo do Dhineartach mhic Guaire mhic Neachtain d'Uí Fhiodgheinte. Bhí sí tar éis é fheiceáil i gCath Aidhne, a d'fhág seacht ngoin déag i mbrollach a léine. Thug searc is síorghrá dó ansin go ndúirt:

Saighead chuartach ag tolladh suain
feadh m'oíche fuaire:
       mairgniú mo shuirí iarlae
       is gaiscíoch Roighne

              Róghrá don choimhthíoch
              sárú a chomhaoisí
                    sciob uaim crot is lí
                    chlaochlaigh lá 'na oíche

Binne ná gach laoi a bhriathar
(seach naomhadhradh neimhe)
       breo léir glanléimeach
       céile tanaí taobhthais

              Sáthaithe de ló ag Guaire
              Rí nAidhne aduaire
                    m'anam ar fuaidreamh istoíche
                    Lúcháireach in Irluachair

Móraíd in iath Aidhne áin
um imligh Chill Cholmáin
       breo as Luimneach na n-ua aneas
       darb ainm Dineartach

43

Breo léir gur léim im chorp
do dhorchaigh réalta
    conair shocair do thréig
    is bealaí triallta

A bhás, a Chríost cháí,
    do chránn mo chroí caoin
        dealg chuartach shuantollach
        trém' oíche aníos

ón Meán-Ghaeilge

Bás Tweedledum

Scag go dícheallach cloch ó chloch
    is as gach cloch a púca
Gur thréig gach púca saol na gcloch
    thug aghaidh ar neamh na bpúcaí

        (nó ar ifreann? . . .
        n'fheadar mé ambaist
        a mba bholadh ruibhe
        nó túis' é)

Is bhuail sé fáisceadh ar an gcloch
    an chloch do thréig an púca
Gur mhaígh: 'a' bhfacabhair cheana fear
    nár lean a scáth ar shiúl é?'

        (is rinc a scáth
        ríl saoirse
        ar urlár neamh
        na bpúcaí)

Is roinneadar píobaí cailce
    is leann chun brón a mhúchadh
Ach níor airigh cóiríoch a ghaiscechaint
    go fiú's an bhean a shín é

        with a whack foldy iddle
        eye

        os cionn cláir

45

Aibiú

Beag-Árainn
Ná smálaigh led chos
Is fearr dod bhrionglóid
Tost.

Sa mBeag-Árainn rosamhach
A sheas i mbéal m'óige
Bhí grian
    greann
        grá agus fathaigh
D'fhuathaíos
Tír na gcloch —
A laghad, a leimhe,
A luaidreáin feille,
A rothanna paidreoireachta
Ag dordán sa ngnaoth . . .

I mBeag-Árainn
Shniog go tóin
Cailís chréfóige

Bhlais laghad agus leimhe
Nár staon fós.

Bagairt

Tá an corp seo róbhán, róbhog
tá an fheoil gan chumhdach
fanaid badhbha
gona ngoib chrua
go buan ag faire
cúlód feasta óm dhraidín
óm abairt sclábhaí
siar
agus
siar
uathu

cuachta suas im dhún
daingneod boltaí
tré scaintriúchaí
crothnód na héin
ag scláradh mo choirp bháin
déarfaidh mé libh, a dhaoine
nach cás liom feasta bhur
ngadaíocht fhalamh

cér chás gob crua
don naíonán fir
ag imeacht leis saor
i ndubh a mhaidne?

Athchollúchas

chuir tobar thar maoil
cumadh sruth
a ghaibh cruth cait
threascair cat luch
is (dán a chineáil)
rathaigh

uch ochón agus míle uch
chuaigh roth
sa mhullach ar chat
is bhog an sruth
a cheangal dá chruth
d'fhill agus
d'fhan sa tobar

go ndeachaigh do chorp
go santach thar bráid
ar thóir
a mhianaigh

Comhairlí

Faigh giodáinín dorchacht'
    i lár na dorchacht'
    do ghiodáinín fhéin fhéinín
    abair

Caith balla damhna
    timpeall air
    ná lig d'aon phuth
    dorchacht'
    éalú

Dear dorchacht amuigh
    le fuaim, gné
    agus dath

Nuair nach léir duit feasta
    dubh istigh
    dubh amuigh
    dúthaoillí
    ag tuileadh
    trá
    sruth

Tréaslaigh leat fhéin
    do shaothar
    ól toitín
    ól deoch

SAN UISCE

Celan

*(Ainm cleite Paul Anczel, file a rugadh i mBukovina na Rómáine,
1920. Ba í an Ghearmáinis teanga a véarsaíochta. Chuir sé lámh ina
bhás féin i bPáras, 1970.)*

Nuair a shnigh an lá as toll na spéire
uige an bhisigh bhréige feannadh
anuas ód chneá
gach speabhraíd lae is oíche
stracadh
anuas ód mhian.
Is nuair a stoith Dia siolla
as snáth teann do bheathasa

shnámh an créachtcheol anall le clapsholas
an dealán craobhach ar bharra taoille
le héirí na gealaí
d'at is réab
gach mogall caoch in eangach d'oíche
gur thit do dhaingean cnámh isteach
i mbóchna bhaoth na síoraíochta.

Le huamhan an aitheantais
an tásc úd do léas
do rann a scoith sáinn gach réasúin –
ga glé a léim tar fhál na n-aoiseann
d'aimsigh a mharc
i mbeo mo chré-se

is féach, a fhile,
fuil allúrach do chréachta
ag coipeadh go fras
tar chab mo véarsa.

50

Leath-

Tharraing snáth na staire as aer
is snáth na seifte
d'fhigh ribebhoth mo nóiméid
sheas i gcois dá leith uirthi

nóiméad imeachta
nóiméad tíochta
nóiméad nár tháinig fós
nach n-imeoidh
choíche

leathmhise istigh ann
leathmhise amuigh
na 'chaon leathmhise
ar leathchois

as snáth na staire
snáth na seifte
ar leathlámh
ag fíochan

Il y a des monstres

Il y a des monstres qui sont très bons
                                        Guillevic

seo fiseolaíocht duit a thaisce,
an nathair
a bhanbaigh ariamh
i ngabhal mo bhrístí

arbh fhéidir
gurab ionann is
an nathair atá

ag eorpú anois
i mbrollach
mo léine?

Eadartheangachadh

As cláirseach gan sreang
atá ceol an fhómhair
ag siosarnach anuas

siollaí faoi bhalbh-ionadh
ag cruinneáil ag na crosairí

is tádar ar a dtáirm anocht
'donn' agus 'buí' á rá acu
de chogar –
na cainteoirí dúchais seo
gan fiacla

ach ní thuigir a dhath
ná bac
is gearr eile a mhairfidh siad

agus tá feadóg gan pholl agam
ar a gcasfaidh mé
(duitse ach go háirithe)

an port
        ceannann
céanna

Treoir

Léim isteach in aol an fhocail
is 'spáinfear duit críocha

Léim isteach in eibhear mo véarsa
is 'spáinfear duit púicín
na gréine ciartha

Léim isteach i bpóca mo chnis
do shúil ní dhallfar
ar shúil na gaoithe

Caith a goirme siúd isteach
i ndianbhruith láibe
brúigh go domhain isteach í
le rinn do sháile

Fág trí lá í
fág trí oíche
go bhfásfaidh an focal
as gorm na gaoithe

Focal broinne
focal brátha

Imigh leat a chleite
le gaoth an fhocail úd

Damhna

Tháinig mr zeke aniar i gcosíseal
  thiomáin isteach ar an mbaile
'na neamh-
    chúis liath .tharla seo
  go minic cheana   .ná séid
  aon stoc

  íslíonn tithe dorcha a gcomhrá
  téann saol chun ciúine
  le déine nua
  ag

  ceol na beatha ag trá
  cruinníonn zeke ina
  ladhar
  dola na staire
  ropann siar é
  'na phóca
  cúil

  us
  níl ar a c(h)ois sa tsráid ach
        Ó
  'gnó mar is gnách':
  (ní) t(h)éann áit ar bith
  ar a c(H)rúibíní cait
  ach ar luas lasrach
        Ó
  'na lán stad

thar sáile múchta an chuain
i gcroí falamh na hoíche

cling na marbh

tuar a thíochta

Labhrann daoi(th/n)e béarla focal
ní thuigeann sé
an bhfuil gaeilge agat?
parlez-vous français?
sprechen sie deutsch?
parlate italiano?
thà iad a' bruidhinn
ghàidhlic
cionnus?
c'arson?
ciamar?
cò?

imíonn sé uathu
'ya ni panaimaidhiú
                , tobharaoiseachaí,
'ya ni gavariú
                ,mijne heeren,
                ,mijne damen,
                ,shalom

níl manannais ag
zeke

gaoluinn
urdú
teanga
focal
'bith

Siúd ina sheasamh é
ar chrosaire an tsaoil
sleabhcún crom spadchosach ait
gan aige pighneachaí
geisfhocla
fios a bhéas nó
gráin ar lobhair

nár shiúil ariamh gan fiar
ar mhánna an tsaoil
nár chleachtaigh
gramadach

i measc na mallacht i measc na mionn
coscanna dá mbrú scréach na mbonn
carranna ag tuairteáil nallsanonn
adharcanna dá séideadh
go bagrach fonóideach
imíonn leis chomh neamh
urchóideach le leanbh
                    míosa

chomh neamhairdeallach leis an oghamchloch
chomh baoth le gaoth fhada na gcianta
chomh hiltaobhach le cearcal
chomh doshroichte le quasar

sé do mhaimeo é?
sí do dhaideo í?

suantraí na gcnámh aba
ir ne amhbhuaine cloiche
anáil idir dhá dhubh
dordán inneall staire
daordhóchas brat dearg
béic ar an tsráid
comhthá na n-uile
frithchuspa
tóiteán scoile

cao   lshean,s(
    gobéardat á ann
    do ráidh damha
    odhaire
)méir
        a' bualadh na fuinne
        óige igcoim oí'
súilta
        obh hiar den dam s
    aobh thiar de
    hiar
    gnómarisgnách

tao tai bhs ebéidi r
    bé (éidir)
    ar mhuin
    calthóig'
    ?báistí

bo urgeois eachbe athaithe
                ataithe
        i
          mblomfo
      nt
    ein
  in
(enimday)

plumpaíl
                        chrúbanageal   ,aí
        ar thír dhú

prag hasnasc ari
                dtimbuc
        tú

aibhleog ar a caille (míle
bás a' gin't míle breith
idir anóid is catóid
neamhthuiscint gus
neamhthuiscint
neamhthuig

ceamara a' sciathánaíocht
thar fhásach anonn ag
neamhsheachadadh sa
invínithe   ,ag
moladh
faic

tuig

coinn-iall ríocht/ean
ach grá is móilíní
coinníoll riachtanais
réamhchoinníoll coinníoll

réamhréamhréamhréamhréamh
neamhthuig/tuig

OM

nuair a dhearcas thú
id aonar i measc na bhfear
,a mhicí,
an raibh tú ar do chamashiúlta
i dtír dhraíocht' na gceo

bhí comhrá id thimpeall
ag tonnaíl go suanmhar
seicil, rúbail,
boinn gheala ghlónmhar'
tic-toc an chloig
finné gan trócaire
bhí tú scoite 'mach
id ghiodán féin

go tobann d'éirís aníos de léim
ghealaigh grian cheilte ar do bhéal
d'fhuagraís le díocas go dtógfá crann
nach raibh a shamhail beo
in intinn na n-óg
nó ag dreo go ciúin
i gcuimhní na sean

crann do chroí a d'fhásfadh go tréan
a réabfadh go diair gramadach a' tsaoil
is a bheadh faoi bhláth
is a theilgfeadh scáth
'dhíochlaonfadh lá
d'réir t'acmhainn' féin

chaochadar na fir súile feasach' ar a chéile
i ndiaidh an uile, ní raibh ann
ach micí breall, amadán,
a bhrístí stollta
a thóin leis

uch
a dhia
den déantús is nuaí
den ghliceas deibhí
d'iomarbhá bhithbhuan na bhfilí
dár bhflaitheas teibí
mo chreach anocht
táim bailithe
den tóir ar neach
tá ceaptha bheith
i lár m'oileáin
i lár an dáin

an bhrionglóid mheabhail
i gcrúiscín dé
an tír na n-óg
ar íor na spéire
athsholas gach nóiméid
also sprecht mac zarathustra

ar dhán
ar dhéithe
arán nó fíon
ní iarraim
arsa micí
nó réalta
ní shantaím ach
amharc ar chrann
a lúbfadh roimh ghaoth
crann a lúbfadh roimh ghaoth
ina léire
            ina láine
                    ina loime
                mo laige
        an chaille úd

chumhdaíos
gach beo
gach neamhbheo
dá stróicfí
chealófaí
gach mac-chrann
mhothóinn fá dheoidh
cumhracht ceoil
an chloch gona dealbh
nár foilsíodh fós
dia is deabhal
le chéile ag ól
an dán i gcarcair
gach neamhdháin

a zeke, ní iarraim
ach amharc ar chrann

go bhfuaró' im bhéal
fonn agus rann

d'fhuadódh zeke craiceann a shaoil
is níl ar a c(h)ois sa tsráid ach Ó
reochuspaí cosúlacht' is gnáis
chealódh
tarraing bolta
brúigh focal abhaile
tóg t'amas
tóg t'am

OM
OM
OM

SCAOIL
EANN
PLÉASCANN
            ollmhargadh
                cónra phlaisteach
                    brassière buí
liúdramán malartán stoc
ag imeacht i gcearclaí
de shiúl na gcos
ríomhaire buinneach
ag rámhaillí

geiteann micí
úrscaoilte óna chraiceann
bláth neantóige i bpoll a chnaipe
ag sirtheoireacht leis
ar fud an tsaoil

pógann bean rialta ar an tsráid
cuireann fá ndear d'amadán
imeacht leis de shiúl na lámh
sa malartán stoc
scaoileann poc
scríobhann dán
ardaíonn crann
in aghaidh na spéire . . .
scáth a ghéaga
ar mhá, ar réalta

druideann zeke uas.
siar i gcosíseal
gnó mar is gnách
obair déanta

saol ag ramhrú
sna glaschuanta
thoir
athuair

díscríobhann saol dán
díoscaoileann micí crann
scaiptear siollaí
duillí:

cnámhóg dháin i gcroí an fhile:

cling na marbh

gáire buile

gáire na marbh

cling na n-uile

Teagmháil

Nuair do plabadh ar mheabhairchloch
meabhalcheadal na céille
fuadaíodh an brollach, an bheach, agus bán,
agus bhearnaigh an choill ghlas
cnó m'aonaránachais
gur labhair liom an chraobh,
an sceach is an tamhan
is m'urlár níor breacadh
le seilí a scátha

gurbh iúd chugam an glaschág
faoi airm is faoi éide
cláirseach dá spreagadh
ag caolmhéar amhráin
caidhp na gcloigíní
ar chónra throméigse
is paidrín in ifrinn
ag rón caoch dá rá

Nuair a ling colúr liath
na síoraíochta thar thairseach
rug fírinne na farraige leis
in éitheach mo dháin
is má tá séala na mara
fliuch fós ar an scéal seo
tá eochair gach beatha ann
is eochair gach báis

Ar Dhuirling

Fiú nuair a osclaíonn na caisearbháin
(Is iad ag rince sna gorta dubha)
Iomláine mheabhail a gcroíthe
Don ghealach,
Is nuair airítear bó an bhéaloideasa
Ag smalcadh ceathrú feola,
Is nuair nach mbíonn i ngad Ariadne
Ach cealgshnáth
In aimhréidh,

Fiú
Ansin
Bíonn ruabhéic
Dhochloíte
An chorrlaigh
Timpeallaithe ag
Balla ná ligeann
Aon cheo tríd
A thost
Fiú
Is

Briseann ailgéabar gan eochair
Ar dhuirling cloiche allúraí

Baiseo Ar An mBóthar Aduaidh

Tráth a loisceadh
spreangaidí na gealaí
ag súgán fola

stoitheadh port
as tuar ceatha
ag caolmhéar uisce

d'fhás dobharchú is lámha
as clocha
is báisteach

collchoill do chroí
don mheisce seo
dá ngéillfeadh

a scríobhadh de dhánta
a scríobhfar
deoir fola
ní shilfeadh

a scríobhtar?

fuil na n-uile
ní líonfadh!

Nietsov Agus An Mhaighdean Mhara

An uair
Shantaigh mé a béal
Is sólás a bráide,
'Frithfhilíocht,' a dúirt sí
Is ní raibh sí ag gáirí –
An mhaighdean bhreá mhara seo
I ngrianlúb na trá,
Tuar ceatha ina heireaball
Is leabhar naofa ina láimh . . .

'Níl an dúchas id rann, is
Tá do theachtaireacht míchríostúil,'
Do ráidh an neach mara . . .
Ach bhí sí chomh séimh sin,
Chomh cluthar cé iascúil
Go mba dhóbair dom géilleadh
Do reachtaibh a dlínse . . .

Ach 'caith uait do bhaothchaint,'
A dúras,
'Is ná ceil orm do phóg;
Tabhair dom sáile do bhéilín
Gan salann ar bith ann
Is béarfad duain bhreá duit
Gan dúchas gan Chríost
Ann.'

Pizzicato

Ar mhiste mór ár malartú anama
A mhuirmhaighdean mhongsholais mhíonla?
Ó rónabhair ceanncheathrú dem chroí
I ngach fuilrabhartú mothaím
Do mhuirchaint amaidí is
Ré roithleagán na gaoithe
Ná fuil a gluais fós scríofa
Ag púscadh trí mo laoise!
Ochón agus

Uch, a stuaire na dtromgciabh,
D'fhágais praiseach 'fud mo mhéise!
Ag goineachan im fhuil ataoi;
Tá do scéal ar fud mo éigse
Is ar urlár allta mo thí
Léir an díobháil gramadaí
Nó an siúlód díreach choíche is
Mé ag iompar mhire do theiscinne
Ochón agus

Uch, a bhé na ndual feamnaí
Atá ag iompar m'anama,
Dá bhfágfadh tú mo scéal,
Dá shnámhfá as mo leathanach,
Nó dá bhfillfinn faoi chaithréim chaol
Ar chaoiche shocht mo mheadaracht',
Dá gcuirfí boilsciú na mara ar ceal
Ag cáinaisnéis an aitheantais?

Ochón agus uch
(faoi sheacht)

Ríseach

Rug beocht uirthi sealad
b'shin sáile a póige
is chaith sí an criostal nua-
    shaolaithe 'feadh ala
gur chroith uaithi arís é
go fánach

na sciatháin gheala do thit
anuas ó chraobh na gaoithe
cnámh bhriste an
chonartha roiste
deora fola

ar an gcréacht, ar an gcuimhne seo
beathaíodh a mian
as lomra na gaoithe
chum sí snáth dubh na rísí

is d'fhuaigh brachlainn suaill is bád
le snáthaid a caointe

Féileacán

Ardód chuici, a dúras,
íobairt daraí gach féithe. . . .
Béarfad chuici
(baoth mo mhian)
tintreach reann
na n-oileán mara
driogáil mhaoth
na gcaonach aille is
ogham fada foighneach
na feamainne. . . .
Ach níor shéideas ariamh
stoc na gréine
go buacach
thar a sneachtaí léimeach'
níor cheansaigh gaois
nó giodam a goirme
faoi shrathar smísteach
smachtach
ár scéalna. . . .

Gach tráth d'fhéachas
lem íota a shásamh
le fíon gléineach a lámh
thugas cealgaireacht aolta
na duirlinge faoi deara –
siosúram neamhstaonach
idir í is m'éisteacht
is m'fhéachaint á mealladh
ag sobal a héithigh,

a féileacán
ag princeam go giodamach uaim
i dtiachóg mhear na gaoithe

SA gCRÉ

Achadh Mhoirín XXXVI

Thar loime ár linne,
Thar chíréib ár gcréne,
Fuaimnigh do shiolla
Ar chruit gan téada,
Dáil orm oighearbhraon
As croí dubh do laoma,
Salann do chnáimhe
Is mil óir do bhléinte,
A chriostail na gcriostal,
A ealabhean mo mhéine!

Do ghlór trín láib lábúrtha
Ag fuaimint
An siolla a scaoilfeas
Snaidhm ár nduaircis:
Éitheach do dháin
Is scéimh do bhréige
A bhrostós rún an Achaidh
Chun saolaithe,

A spreagfas gliúrach
Faoi screamh an Achaidh,
Faoin gcarraig, faoin gcré,
Faoin bhfraoch, faoin aiteann —
Breo a adhanfas
Aibhleog na beatha
Faoin ngríosach ghlas
I gcuibhreann na marbh.

72

A chodlataigh álainn
In umha mo chláirsí,
Beir leat m'anam
Chuig tearmann do shóláis,
Cuir deireadh go brách
Le déirc is dóchas,
Le tocht mo dháin,
Le baois is brionglóid!

Líon bolg na gaoithe
Le reacaireacht Aeolais;
Bain gliogar as géaga
I gCoill Chnoc Gaoithe
A mhúchfas fachnaoid
Is feall na céille
Is liodán na léithe
I bhfotha an chrérud',

Go gcuimseoidh croí slán
An fhailmhe sa láine,
Bile agus duille
I gcoill na mianta,
Meafair na ciúine,
Meafair an rince,
Ailgéabar an choinn
San uimhir bhunúsach,
Gasán na meala
Sa bhfréamh fholúsach.

Ó, fógair do phoblacht
Ghaoise is ghréine:

Múnlaigh bruth
I gcruth do bhréige
Go sciúrfar dár bpár,
Dár bpór, dár bpianbhroid
Díblíocht na deighilte
Níos dall den radharcach,
Scéin an chime
I gcarcair a éigin.

Dá bhfeicfeadh muid Úna,
Dá bhfeicfeadh muid Aoibheall,
Dá bhfeicfeadh muid Clíona, Deirdre, Cíobán
Ag síorbhaint bharr na scéimhe
Dá chéile is
Tine gheal a ngáirí
Fite
Trínár gcailc-chré?

Ó, tógaimis
Gallán chun na gréine
Ar chimín coillte caol na Gaeilge –
Gallán ár méine gan scoilt,
Gan scáineadh,
Fís na haontachta,
Dealbh iomláine,
Is fillimis le dúthracht
Siollabadh ár siansa,
Sraith ar shraith,
Go dlúth ina thimpeall.

* * *

Marcshlua ar an ard
Faoin bhfuineadh gréine:
Cathlán an dáin
Faoi airm is éide . . .
Trí gháir ar chnoc,
Trí liú chaithréimeacha;
Meisce an mheandair
I mbéal an neamhní —
Dord danartha neamhbhásmhar
Na Féinne
I nGabhra goirt an áir . . .

Iargain Acaill

(do Aonghas Mac Neacail)

Chi mi anochd 'nam bhruadar
Air monadh 's air sràidean,
Air cnocan s' air cuantan
An tannasg liath 'gam thathaich. . . .

Dè tha dhìth ort, mata,
A neach bho thìr mo bhruadair –
An leug prìseil àluinn ud
Fo fhacal ghrod mo bheòil,
An sgiamh fo sgiamh na sgèimhe
An creagan lom mo sgìre,
No teine Greaugach a' sgàineadh
Troimh sparran gruamach na Traoidhe?

No nan coimheadainn air an dealbh ud
Air cúlaibh tìr mo dháin,
Chithinn coltas rìbhinn –
Sealladh a' bheatha làin,
An rioghan uallach aoibhinn ud
Tha glaiste an dràsd 'nam chridhe
Is mise fhathast 'ga lorg
Feadh rathaidean fàs mo mhiann.

On is breugach an teine tha laiste
Am broinn m'eanchainn sgàile;
Chan iad gaol no gràdh a' choinneal ud
A' losgadh an cridhe mo dhàin;

76

Fuath, fèile, no fearg chan 'eil ann
Ach àrdan fuar 'nam cheann –
Co-fhreagarrachd chumhang na gràinealachd,
Am falaisgir spìocach gun bhlàths.

Ach nam fuadaicheadh fearg na faileasan
A ceàrnaidhean cràidht mo mhiann;
Nan sgapadh fòirneart doille
A' chaoil eadar ceann is cridhe!
Éist, éist ri mo phaidir, a Dhé,
Mas fior fhathast faclan Yeats,
'S criadh mo charaid sìnte romham
Fo bhìrlinn dhuibh na Gréige,

'S deònaich eagal a sgapadh
Mar sgleò thar sùil mhic Phriam,
'S gucagan teine ri mireadh, ri mireadh
Air mullaichean-taighe na Traoidhe;
Bhristeadh gamhlas Agamemnon
Nan reubtadh glas mo chridhe;
Bhitheadh Briseis eadar mo dhà làimh
A-rithist
'S bheirinn di làn-ghaol. . . .

GLUAIS

bruadar: brionglóid
tannasg: taibhse
leug: seod-chloch
prìseil: luachmhar
sgìre: paróiste
sgàineadh: réabadh
dealbh: pictiúr
coltas: cosúlacht
uallach: uaibhreach
rathaidean: bóithre
gamhlas: spíd
àrdan: bród
co-fhreagarrachd: cothromán
falaisgir: tinte cnoic
spìocach: sprionlaithe
blàths: teas
faileasan: scáthanna
bìrlinn: púcán
sgleò: scamall súile
gucagan: péacáin
ri mireadh: ag imirt

Oisín i mBoston

Nuair a thugamar teanga
do chanúint an oileáin
thugamar ár samhradh linn
don imigéin chuideáin
thiontaigh caisleáin ghloine
'na gcreigeanna is

thriallamar abuil ár sinsear
ar bhóithre an oileáin
d'aiséireigh fís ár muintire
níor tharla riamh cionn tsáile
is bhí fionn is caoilte ann
fíon na spáinne is salmaireacht

gur theith uaim cathair bhoston
nósmhaireacht na bponcán
camadostram agus ceachaireacht
tré mhogall na neamhthuisceana

'gus bhorr an ceol go haiteasach
inár síbínbhoth oileáin
gur airigh tollghlór mailíseach:
'hey buddy move along'

Eitilt

Ba dhoras ag plaboscailt nó
coinneal thobann ag bláthú sa nduibheagán
an meirleachfhocal údan
a chruinnigh isteach sa gcúnglach
fearacht roicéid á leagan
ar leaba láinseála

cúnglach ag cruinneáil
isteach sa leathanach
bhleaisteáil sí léi anonn
ar a turas parabólach
tharcaisnigh díreatas
tholl streoilíní 'gus
sainmhínithe gan áireamh
réab na múnlaí
fágadh buirgéiseoirí
ag gearradh fíor na croise
orthu féin, ag cáineadh
bhaois na hóige

agus cúnglach dá alpadh ag leathanach
is leathanach ag cúnglach
chaolaigh as amharc uilig
i liomatáistí na ciúine
nochtaigh grian scalltach
nár mhair ariamh fós
i súile na ndaoine

ach d'athionól dorchacht
chruinnigh grian úr
isteach sa leathanach
dála bonn nua le teann láimhseála
chaill a ghile
múchadh leathanach sa gcúnglach
athshaolaíodh focal
gona reosheithe
agus thit

anuas agus anuas do thit
roicéad caite ag titim
á shlogadh siar i measc na bhfoirgneamh
faoi shatailt na ndaoine

focal buailte ina luí i láib na sráide
is an doras druidte

Duille Uathoibríoch

lonphíobaireacht
searradh crainn
cuachmhacalla
i bhfáschoill chiúin
blas fuil
chrainn roiste
bromach-ól
sruthcheol

suanmhuir
faoi ghormbhrat
suanfhaoileáin
ar a hucht

iasc-chuairt
ar chuan
dordán
san aer máguaird
bó-beach-cnoc céin
greadadh-'un-stop
deannach ciúin
stop

sa ndeannach ciúin

stop
go ndéanann Siva
comhartha láimhe

athdhíoscadh
acastóra
tré ghealchuisne
anuas
aníos
anoir
aniar
duille

duille
an chéad athdhuille
uathoibríoch

Tóir

An táirbhreac 'shnámhas
sa tanalacht cois cuain
nuair a thligim líne
troideann lena bhráithre
le saint chun baoite
fillim ar an mbaile
mo thiachóg lán

an bradán feasa
sa ndomhainlinn chiúin
caithim dúthracht á mhealladh
le seacht gcineál baoite
fillim ar an mbaile
mo lámha falamh

Diomar

Níor ghlan riamh ór geal Fhéabais
Fiacha dorcha domlasta na céille
Is mhair an dealús i gcrioslach an éigis
Gur bhailigh an ghrian léi thar chab na híorach;
Ach nuair a shoilsigh reann,
Nuair a d'éirigh ré,
Scaipeadh airgead sí ar chlár na mara
Nár cheannaigh fós neamh
Ná barántas Dé
Ná talamh dó ar maidin.

Amhrán Ársa

Macalla glóir áin
'Sea tásc na mbard mbras!
Ach ar shamhail fhíor ded dhán,
A Mhuiris Mhic Dháibhí Dhuibh,
Fuarán fialfhrasach ag réabadh aníos
Trí 'urlár Gallda' ár ré?

Cheal uisce d'fhanfadh craobhán seasc,
Bláth ní fhásfadh gan beannú na préimhe,
Ach barr is síol an imeodh ó rath
Dá gcoscfaí do mhian
Ar fháslach ár n-éigse?

Nuair thánais inné
Ag triall faoim dhéin
Géillsine m'fhocail dod bhinnphort gheallas,
Nuair théarnaigh Iosbéal na ndán im dháil
M'ómós dá háilleacht
Ar phár bán bhreacas.

Ach cér chás seanmheadaracht
Ar ghuala ár ngá
Is an spealadóir 'nár measc,
Fuil ar an tsráid,
Brionglóid 'na smionagair
Faoi bhun ár gcos
An cime 'na chodladh
Ar chneá a chomharsan?

86

Nó cér chás Iosbéal ag siúl trím dhán,
Is ceol ag géilleadh do riteacht do reacht'?
Nuair a chuireas rann faoi shrathar do thola,
A Mhuiris Mhic Dháibhí Dhuibh,
Chonaic an dá radharc úd
Ar scaileáin a rosc:
Coineart Cherberus 'nár spéirse scaoilte
Is iarsmalann fhalamh á tógáil
Ar ard balbh na fola.

Héalan

Tráth a lorgaíos póg do bhéil
roinn tú liomsa boige do bheola,
Bhain tú an ghoimh as ceas mo dháin
Le féile mhaoth na feola
Is mise ag cur i gcéill dom féineach
Nach mba eol dom branda Cháin
Bheith greanta go gránna feiceálach
Ar ghile sneachta d'éadain.

Gort an Chriadóra

Nó dá mba fheasach mé
Praghas na daoirseachta
Don chom sneachta seang slán
Dá dtug mé grá gan chéill!
An tríocha píosa airgid úd,
Tríocha braon fola
Anlactha gan aithrí
In Aicealdáma domhain
Mo chré. . .

Aeaea

Éirigh, uch éirigh, a liúiste,
Is cuir amach an lá!
Cá fhad, a chroí, ó chuala mé
An abairt úd á rá?
Ó bhíos abuil Circe
(Ar loingeas tirim sa gclochar)
Is muid araon go tréithlag faon
Inár dtráillí faoi mhaothghlas sámhais,
Ó cheil ár gcara Fuarchúis orainn
Gach tomhas, léarscáil is eochair?

Salómé

Bhí Salómé ag snámh aréir
Sa bhfuisce buí i mo ghloine;
Sciorr sí léi go luaineach réidh
Ó loime léir go loime.
Ach nuair b'iúd isteach
An dáileamh caoch,
Is cloigeann Eoin aige ar mhias,
D'aimsíos leithscéal i mo chré
A líon go barr mo ghloine.

Ardfheis

Deir a chroí leis
Gur deargéitheach an mana úd anois
A d'éiligh deachú fola
Tráth a lasadh dóiteán an ghaisce
Ar mhaolchnoc is ar shráid
Is gur nimh sa bhfeoil an focal
Nuair a mhaíonn gníomh a mhalairt;
Glanann croí an fheallaire
Fiacha bréana na feille . . .
Ach cuireann sé nath an niachais
Ar ais i mbéal na bréige;
Múchtar go grod an glór beag faon
Taobh thiar de ghobán na béice . . .

An Raghallach

Ainneoin gach fainic
d'imigh an Raghallach uainn
siar isteach sa gclochar

é dúnta isteach
i saol na gcloch
ní chaoinfidh deora
a bhráithre

ach cime cloiche
as súil dhall chloiche
fuagraíonn

'sona sásta'

Cúlfhéachaint

Réab mo chiall
Teaghair is téad
Is ghluais de léim
Thar bhánta . . .
Ó, bhainfinn amach
Beag-Árainn chéin,
An réimeas
A gheall na dánta . . .
Ach spléachadh siar
Dá dtugas orm féin:
Chonaic an mhise-bhrúid,
Mo léan,
Ag baint na sál díom.

An Ghaoth

Nuair a scaoileamar
Snaidhm na sceimhle a
Nascann cré le nós
Thomhais muid eití cnáibe
Le hanfa fáin na díleann
Is brachlainn Ghades ní shásódh go brách
Díocas cíle ná rámha
Gur nocht do Aeaea romhainn sa ród
Is thit faoi chuing do dhála.
Do ghéaga mná, mo chreach is mo chás,
A lom isteach an scód,
Ceolta sí ar shreanga, feoil
Is fíon na sáimhe . . .
Ach ó thiontaigh treallús chun táimhe
Is áilleacht chun nimhe im fheoil
D'aithin an cion mar leithscéal
Is ghabh an ghaoth mo sheol.

An Iarmhairt

Duifean ag fás
Idir bé is file
Idir beach is bláth
Idir crann is duille

Cré ag filliúint ar chré
Gaois ar ghangaid
Dán ar phrós
Cion ar an aimride . . .

An iarmhairt bheo
I dtéalta siollóige;
Siúlfaidh bé eile fós
Cois Áth na Donóige.

Comhairle

Seachain bé
An fhriotail réidh;
Séan an freagra a thig
Go pras;
Ná cuir aon bhréag,
Aon fhocal tréith,
Aon chailín Domhnaigh
Idir tú is tost!
Ach mura dtapóidh an
Chiúinbhean feasa do chuireadh
Fáisc faoi stuaire
An fhriotail réidh;
Ionann cruth
Is scéimh don dís;
Nach fada a bheas slat
Ag déanamh cré?

Nuits de Paris

'Ní tusa Niamh,
A stuaire nach séanfaidh cumann,
Ní Deirdre ná ní banríon tú,
Buime shéimh ná spéirbhean
Is *Nuits de Paris* níor chumhraigh riamh
Gleoiteog gheanmnaí m'éigse.'
'Tinteán tacair ná tréig, is má tá
Do gha don chomhrac gléasta
Ná séan aon dóiteán a dheargfadh sleá
Sa ngleann faoi bhun Chnoc Véineas.'

Idir Dhá Chleacht

(Dúirt Heinrich Heine, an file Gearmánach a mhair idir 1797 agus 1856,
go dtiocfadh dánta ag moladh fataí chun cinn ar shála na romápsaíochta.)

meabhraigh
fád lic
a heine (file)
do thairngreacht

dá mb'fhíor go rachadh
rós fán tuile
ar theacht in inmhe
do phór na brise

tost dá dtitfeadh
ar thuirne glic
na duaine grá
ar inneall na seirce

féin dá gclisfí
an gcanfaí feasta
go tréanmhar tric
an bhfásfadh feasta

as téada cruite
laoi mholta an fhata?
an daonlathach tíriúil
bheathaíos daoine

a mhóradh im dhán
ar phianmhar?
don ghoile oileánda
ar líonadh?

freagra m'fhachta
a heine (file)
fád lic
meabhraigh

ciall do cheachta
ar t'anam ná lig
fád phluic
ramhrú

lúdrach theann
ar a gcrochfaí
comhla luaill
mo chleachta
feasta

100

chroith draoi
a shlat
mhám orm isteach
scáth is dath

is fonn

Bánú

Teach bán i lár m'oileáin
maidin mhoch gan neach ag corraí
do chonac ag eitilt ó chéile
cheal máthairchloch

seomra mo shean thiar go brónach
seomra na n-inneall go glé
d'fhágadar slán ag a chéile
trí huaire roimh bhánú lae

seomra an tsó is an airgid
seomra bocht tréigthe grá Dé
do bheannaigh go fuar lena chéile
sá coirp agus grá
cairdeas is cáir
do scar siad go brách
trí huaire roimh bhánú lae

halla iltriallach an ionracais
do scar le seomraí na ngníomh
gach seomra falamh
a dhoras ar dhianleathadh
a' ligean a neamhní le gaoth
ina ghal soip d'imigh uaim
gach macdhán
gach galar oileáin
gach focal

fuair
spléachadh tobann
(mo dhaormhian)
ar thalamh slán
ar an mbunchloch chianda
faoi bhun an tí ach
d'athchruinnigh im thimpeall
púicín an tsaoil is
chuala ar ghaoth
binnghuth an Éin:

'grian thobann
ar bhachlóg thobann
loinnir toinne cois trá
neamhiomláine aiteas mion
na ngnáthrud
ní dual a shárú
d'fhear oileáin'

scaip i dtobainne
mo thnúthán binn
mo dhaordhóchas
dalladh púicín

rinne cónaí athuair
im theach bán
tháinig daoine
is bhánaigh lá

I Reilg Bhloomsbury: Splanc

Bhuail tá agus bhí agus
   beidh
   le chéile
   gineadh
   nóiméad

Bhuail níl agus ní raibh agus
   ní bheidh
   le chéile
   rugadh
   zeke

D'fháisc zeke uime
   an nóiméad

Th'éis mionchasacht
   nó dhó
   thúsaigh
   inneall
   na beatha
   ag crónán

Ar Théama De Chuid Horatius

A Shíle na baoise, a chailleach na tóra,
Scoir go prap le cleacht nach cóir duit,
Led spallaíocht bhaoth gan chuibheas gan náire
Is le grág do gháire i measc na n-ógbhan!

Fearacht bé bheadh curtha thar bharr a céille
Ag bualadh bodhrán nó ag driogaí dáire
Atá doirsí na bhfear ag t'iníon dá réabadh
Is a leathar dá chuimilt le leathar gach straeire. . . .

Ach bíodh thusa, a Shíle, ag foghlaim do bháis;
Dáil na n-ógánach feasta ná taobhaigh;
Pléaracha t'inín dod shamhailse ní fhónann
Nó giodam an scóir i ngnúis an chaoga.

Agus mise ag rá leat nach measa a ceird siúd
Ná geamaireacht bhaoise na mná is máthair di;
Do Mhilady na mBlianta beirir droim do láimhe
Le péint is púdar is sála arda

Ach 'sí an Lady chéanna an bhean atá foighdeach
(Mar gurb ise an teachtaire do thoibh an bás);
Ach an croí a bheith umhal di is an bhorbchré géillteach
Ba bhean í nach gcoigleodh ort duais do shaothair.

Imigh, dá réir sin, chuig Tiarna an Éaga,
A Shíle na baoise, is déan leis réiteach;
Buanóidh sé bithbhrí nuair a bhascfaidh boirdréis,
Ós eisean freisin Tiarna na Beatha!

Níl In Aon Fhear Ach A Fhocal
Seanfhocal

Is mé ar mo mharana ag faire,
Leabhar Uí Chriomhthainn im láimh,
Ar rince Mhanannáin ilsúiligh
Um chríocha an oileáin —

Tír ghorm ghainéad is ghuairdeall
Go faillte Uíbh Ráthaigh ag síneadh
Is an Cnoc Mór mar chloch chinn
Ar phaidrín mo bhalla críche . . .

'A nae seisean nochtóidh nóiméad ar bith,'
Bhí an Tomás seo ag machnamh,
'Is fillfidh an Tomás eile aneas
Ar a róda goirte ón gCathair.'

Ach má gháireann cuan faoi aoibh na gréine,
Ceann Sreatha is Binn Dhiarmada,
Tá fothrach sramach taobh thíos ag feo
Is níl gáir i gcoileach na muintire;

Tá Tost ina Rí ar gach maoileann abhus
Is tá ceol na ndaoine go follas ar iarraidh;
An gadaí gan ghéim, nár fhan, mo léan,
Ina pholl taobh thiar den Tiaracht,

A réab gan taise thar chuan isteach,
A shealbhaigh gort an bhaile seo,
A strap anuas trí shúil gach dín
Gur shuigh isteach cois teallaigh . . .

108

Tá sé ag fuireach abhus ó shin;
Chím a scáth faoi scáth gach balla,
Is an chloch á baint ón gcloch aige,
An fhuaim ó gach macalla . . .

Ach má taoi ag déanamh cré sa chill,
A Chriomhthannaigh an oileáin,
Gad do ghinealaigh fós níor bhris
Ó chuiris cor id dhán,

Ó d'íocais deachú an fhocail led nós,
Ó bhreacais caint do dhaoine ar phár,
Strapann do nae fós fál na toinne
Idir Muir na mBeo is Muir na Scál . . .

Tá mise fós ar mo mharana ag faire
Is ó bhuanaigh do dhán a ndáil
Tá sluaite na marbh ag siúl go socair
Ar bhealaí an oileáin.

Is cluintear gáire mná le gaoth
Ag bearnú thost an bháis
Is cluintear gáir an choiligh arís
Ag baint macallaí as an ard.

Fin de siècle

Ar lagthrá ár misnigh
Cor úr cuireadh inár ndán –
Síol an tsáile do phéac
Gur sheas inár radharc faoi bhláth . . .

Ar sceirdurlár ár linne
An craobhán seasc do shíolaigh
Is léirigh síneadh a ghéag conair
Thar Shinai ár ndeoraíochta . . .

Shruthlaigh fíon
Aníos ón bhfréamh,
Ag rince is ag coipeadh
Trí ghas is ghéag

Ag iompar meisce
Is gaisce gréine
Ó chraobh na láine
Go craobh na seisce

Mar scian trí im
Mar eala trí spéir
Mar thóiteán Dé
I gcoillte ár n-éigin . . .

Ná habair anois, a mháistir,
A leoin faoi lár na lice seo,
Gur Samhradh Beag na nGéanna bhí ann,
Síolsceitheadh ag béal na huaighe,

Nó go bhfásfaidh smál
Ar bhláth is ar ghéag,
Snas bán thar mhil do bhriathair,
Nó go mbreacfar caint an Chnocáin Ghlais
Ar mharbhphár na síoraíochta . . .

Ach tá sneachta á charnadh inniu,
Mo léan,
Thar an mbéal a chan an briathar;
Tá beo an tsíl a chuiris
Á sciochadh
Ag méara dalla an Gheimhridh;
Tá ciúine reo á leathadh
Thar léire líne is cruth',
Bodhaire Gall ar éisteacht,
Bailbhne Gael
Ar ghuth . . .

Ar lagthrá rabharta ár misnigh
Tá síol an tsáile faoi thámh
Ach tá craobhán seasc inár gcuimhne
Fós
Ag seasamh inár gcoill
Faoi bhláth –
An craobhán seasc úd
A shíolaigh
Is a roinn a thabhartas le cách,
Aitis pháir a thásc inniu,
Ródchomhartha i dTír na nDall . . .

111

Gaibhneoireacht

la pensée se fait dans la bouche
Tristan Tzara

Dá mba ghabha mór
mhéadódh carcair
de bheagán
chuirfeadh cor nua
i rince na scál
dá mba ghabha mór

dá mba ghabha go follas
bhéarfadh loinnir cheilte
chun solais agus
a ghorthlanadh cuí do
fhriotal na treibhe
sciúrfadh meirg
dá slabhraí
dá ngeimhle

dár ngeimhle

geimhle

Aidhm

Gan focal le cois
craobh gan duille
fuacht oighearlice
géire lainne
glaine léir
deora aille

Timthriall

Tóiteáin earraigh sna cnoic thoir
gal na bliana dóite sa ngaoth
ón Imleach, ó Lothar, ón Iarthach
deifríonn an taibhse manaigh
is lasann céadchoinneal
na hoíche

Sa bPriaireacht i measc na bhfothrach
sa bPriaireacht i measc na gcnámh aoil
soilsíonn a choinneal dán úr dhom
is gal na bliana dóite sa ngaoth
is gal na bliana dóite sa ngaoth

Críonadh

Eachtra gach nóiméad
Uair a' chloig fad do shaoil
Sníonn do laetha leo go mall
Cáithníní gainmhe
Ag titim

Casann míonna
Eachtraí
Ar roth na seachtainí
Ag cruinneáil a luais
Ach na blianta
Na blianta, a Chríost cháidh,

Láireanna allta ag réabadh leo
Ar cosa in airde

Laoi Fómhair

Nótaí le bonn
   in uachaisí blaoisce
   trompa ag sárú
   teorainn cnámh
   macallaí dá múscailt
   measc scáth is réalta

taibhsí

      samhraidh ag

            bogthitim

coinnithe

     ala i

         ngealadh na siollaí

á

     n-iompar

         go ciúin ar snámh

     chuig loganna

         ná taithítear

1845

Lá a raibh
each dubh gan mharcach
ar cosa in airde
ag toirniú
ar chrúba
ciúine

Lá a raibh
fallaing ag leathadh
a dorchacht'
thar learga na gcnoc
lá a dtáinig
spealadóirí
gan súile

Lá a bhfaca
naomhóga anaithnid'
gan dola ar an bpoll
céaslaí i lámha
marbhán

Lá a ndeachaigh
spealadóir
gan súil ina cheann
ar mhuin eich dhuibh
gur ghluais curacháin
go tamhanda righin
i dtreo na tíre

An Tásc

Chualadar cláirseoir
Ag seinm gan scáth
Ar urlár a n-ifrinn;
Nuair a d'fhigh sé an chamhaoir
Trí bhréidín a dháin
Bhriseadar a mhéara.
Ach bíodh is nach ndeachaigh
Méar oilte ina ngaobhar
D'fhógair gach sreang
Rosc catha na gréine,
Dearóile ár linne
Is dóchas na daonnachta;
Stróiceadar aníos
Gach meirleach ón adhmad.
'Viva muerte ár roscna,'
A mhaígh lucht an éirligh,
Ach nuair nár cheansaigh a gcinseal
Ghrianfhocal an éigis
Tharraing siad chucu
An súilín caol cnáibe
A ghiorródh le tréas
Is le treallús a dhánta.
Ach d'fhuadaigh lámh éigin
Clochchlaibín na huaimhe,
Nocht teacht na camhaoireach
Lomfhailmhe na huaighe
Is an t-aingeal ceannann céanna
I gcluasa ag fógairt
Nach múchfar an chláirseach
Go Lá an Bhreithiúnais.

118

Rabhcán An Chomrádaí Dhílis

An comrádaí dílis is fearr ar bith
    buanghafa é ag sagart is croch
Fear a thaithigh scoracha teann'
    longa is farraige mhór

Tán thánadar chun é a ghabháil
    b'álainn mar leath a mheangadh
'Scaoil saor iad seo ar dtús,' do ráidh,
    'nó ifreann is dán daoibh.'

D'éalaíomar go buíoch faoi dhroichead sleá
    b'fhonóideach mar leath a chaint siúd
'Níor ghaibh sibh mé im aonar,' a deir sé,
    'aithníonn sibh mo chumhachtsa.'

An tráth ba dheireanaí muid ar an ól
    ghoir muid a shláinte le fíon dearg
Níor choillteán sagairt 'bith ár dtriath
    mianach fir a choip ann go borb

Lucht gaimbín do chonac dá ruaigeadh
    a bpíosaí fealltach' óir dá scaipeadh
A lasc siúd ag tarraingt fhuil a nguaillí
    dá theach dhéanfaí siopa

Fairsingeacht ná ceapfar ar phár
    ainneoin gach gliceas pinn
Níor luchóg pháir ár ndea-chomrádaí
    ar an bhfarraige mhór a chion

Deirid lucht fill go bhfuil sé gafa
    leathchinn iad go héag
'Rachfad ag an bhfleá,' do ráidh ár gcara,
    'fiú más fleá na croiche é.'

'Bacach is dall dá leigheas agam
    is mairbh dá múscailt chonaic sibh
Seo chugaibh ionadh droim ar ais
    bás bhur laoich ar chrann croiche'

D'iarr Mac Dé, ár ndea-chara,
    go ndéanfaí driothárachas leis
Míle fear dá gceansú aige do chonac
    is chrothnaigh sínte é ar chroch

Béic níor fhreagair sá na dtáirní
    steall a chuid fola 'na slaodaibh theo
Liúigh conairt na spéire deirge thuas
    cnead chráite níor lig sé as

Sluaite dá bhfaca á gceansú aige
    ar ghealchnoic Ghaililé is é ciúin 'na measc
Caoineadh is mairgniú do chuala ann
    léithe na mara ina dhá rosc

Dála mara ná ceadódh iomramh
    gus iall na gaoithe scaoilte gan chosc
Dála fharraige shuaite Ghineisire
    chiúnaigh d'éis dhá fhocal phras'

120

Flaith ba ea ár n-anamchara
    comrádaí dílis i mbéal na toinne
Má cheapaid gur mharaigh siad ár dtiarna
    breallsúin iad go héag a gcine

Ó ceanglaíodh é le táirní don chroch
    lá an chéasta i nGeitseimine na feille
Chonaiceamar é dá bheathú féin
    as cíor mheala

                              Ó Bhearla Ezra Pound

Paidir An Fhile

Falbhaidh an saoghal ach mairidh gaol agus ceol

(Inscríbhinn ar uaigh Mhargery Kennedy Frazer ar Oileán Í)

Tógann saibhir
Teampall do Dhia
Ach céard
A dhéanfas mise,
File?

Colbha mo chos
Mo chorp A scrín
Cliabhán mo chloigeann
Don Leanbh Íosa

Sé m'adhradh tost
Sí ciúine mo chion
Ach sé'n dán mo phaidir
I gcluas Chríosta

Teampall cloiche
Tréigfear, leagfar
Mo phaidir ní scriosfar
Ag síon nó doicheall

Ball A Mholfad

Taobh led chneas,
A bhean do-ní mo dhocharsa,
Dhorchódh gné an aoil!
Cuarchló do choirp
Ná lig anocht
Im fhochairse!

Mínchnoic do bhráide séimhe –
Taisce fhíon an dearmaid
– Anocht ní mholfad
Nó ní mholfad ball ded chré
Seach crémhéar do láimhe clé
A chrúigh as cláirseach chéin
Ceol a cheansaigh
Mo dhaoscar!